Las ocurre

de Chivito

D0969874

Lada Kratky

Ilustraciones de Jon Goodell

¡Qué ocurrencias!

La mascota perfecta

Uno se desviste
y luego se viste.

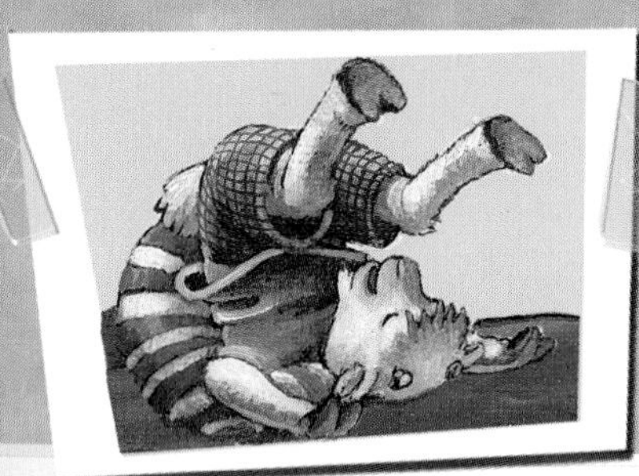

Esperando al ratoncito

¡Me encantan las tortillas!

Mi amiga se ve bien
con puntitos.

Contenido

El pueblo de Chivito

N
O
E
S

La mascota

Un día, Chivito decidió que quería una mascota. Salió de su casa y echó a andar por el caminito que iba hacia el bosque. Allí vio a una ardilla en un árbol.

—Hola, ardilla —la saludó—. ¿Quieres ser mi mascota?

—¿Qué tendría que hacer? —preguntó la ardilla.

—Nada —contestó Chivito—. Sólo dejar que yo te cuide.

—¿Me darías nueces todos los días? —preguntó la ardilla.

—Sí, todos los días —contestó Chivito.

—¿Me dejarías correr por el bosque? —preguntó la ardilla.

—¡Eso no! —contestó Chivito—. Vivirías conmigo. Si saliéramos a caminar en el bosque, te amarraría con un lacito.

—Pues yo no quiero que me amarren —contestó la ardilla—. No quiero ser tu mascota.

Chivito siguió caminando tristemente. A pocos pasos, se encontró con un sapito y le dijo:

—Hola, sapito. ¿Quieres ser mi mascota?

—¿Qué tendría que hacer? —preguntó el sapito.

—Nada —contestó Chivito—.
Sólo dejar que yo te cuide.

—¿Me darías mosquitos todos los días? —preguntó el sapito.

—Todos los que tú quisieras —respondió Chivito.

—¿Me dejarías nadar en la laguna? —preguntó el sapito.

—No —contestó Chivito—, así suelto no te podría cuidar. Pero te bañarías conmigo en la tina.

—Pues a mí no me gustan las tinas —contestó el sapito—. No quiero ser tu mascota.

Chivito siguió caminando. A un lado del camino, algo le llamó la atención. Era una piedra. Le pareció bonita. Era redonda y lisa, roja con puntitos blancos.

—Piedrita, ¿quieres ser mi mascota? —le dijo—. Te voy a cuidar. Te voy a amarrar con un lacito. Te vas a bañar conmigo en la tina. ¿Te gusta la idea?

Como la piedra no protestó, Chivito se la puso en el bolsillo.

—Te llamaré "Pecosa" —dijo—. Eres la mascota perfecta.

Al revés

Una mañana, Mamá Chiva fue a despertar a Chivito y a sus hermanos, Rosita y Pimpollo.

—¡Ay, mamá! —protestó Chivito—. ¡Me acabo de acostar!

—Así es —explicó su mamá—. Uno se acuesta y después se levanta.

—Vístanse —siguió su mamá.

Rosita y Pimpollo se empezaron a vestir.

—Pero si me acabo de desvestir —siguió protestando Chivito.

—Uno se desviste y luego se viste —dijo su mamá.

Después de comer, su mamá les pidió que se lavaran la cara. La tenían llena de mermelada.

Chivito se quedó pensando un rato. Luego dijo:

—Mamá, hago todo al derecho y luego al revés. ¿Te fijas?

—¿Cómo? —preguntó su mamá.

—Bueno, me acosté y después hice al revés: me levanté. Me desvestí y después hice al revés: me vestí. Me ensucié y tengo que hacer al revés: lavarme.

—Es casi hora de salir para la escuela —lo interrumpió su mamá—. ¿Te aprendiste las sumas que te asignó la maestra?

—No, mamá —dijo Chivito—. Ni pienso hacerlo.

—¿Y por qué? —preguntó ella.

—Es que si me aprendo las sumas, tarde o temprano las olvidaré —contestó Chivito.

—¡Ay, qué ocurrencia, Chivito! —protestó su mamá.

—¡Pero si todo pasa al derecho y al revés! —exclamó Chivito.

—No siempre es así, Chivito —respondió su mamá—. Mira. Cada día Pimpollo crece más. Eso nunca pasará al revés.

—Es verdad —dijo Chivito.

—Y cada día tú aprendes más y más. Nunca se deja de aprender.

—¿Estás segura? —preguntó él.

—Sí, mi amor —respondió su mamá—. Así que vete a la escuela y aprende mucho.

—Me voy, mamá —se despidió Chivito—, pero en la tarde haré al revés, ¡y volveré! Eso sí que sí.

El ratoncito de los dientes

A Chivito se le cayó un diente un día mientras comía zanahorias. Muy entusiasmado, lo lavó y lo puso debajo de su almohada.

—¿Por qué haces eso, Chivito? —preguntó Rosita.

—Para que lo encuentre
el ratoncito de los dientes
—contestó Chivito—. Esta noche
vendrá a llevarse mi diente. Me
va a dejar una moneda.

—¡Yo quiero ver al ratoncito de los dientes! —exclamó Rosita.

—¡Sí, sí! —gritó Pimpollo.

En eso, su papá entró al cuarto.

—A dormir, chivitos —dijo.

—Papá, vamos a esperar al ratoncito de los dientes —anunció Chivito.

—¡Qué ocurrencia! —dijo su papá—. Nadie lo ha visto nunca.

Chivito acomodó su almohada. Después se paró de cabeza en ella.

—¿Qué haces, Chivito? —preguntó Rosita.

—Si nos paramos de cabeza, no nos dormiremos —explicó Chivito.

—¡Buena idea! —dijo Rosita.

—¡Sí, sí! —gritó Pimpollo.

—Buenas noches, papá —dijo Chivito, con sus patitas al aire.

—Buenas noches —dijo su papá, sacudiendo la cabeza.

Los chivitos se prepararon para una larga espera. Pero después de un rato, las patas de Pimpollo se empezaron a aflojar. Se cayó y se quedó bien dormido.

—¿Qué esperabas? —dijo Rosita—. Es sólo un bebé.

Más tarde las patas de Rosita también se aflojaron. Quedó roncando suavemente.

Ahora sólo quedaba Chivito. Luchó por quedarse despierto. Pero poco a poco se le cerraron los ojos también y se quedó dormido patas arriba.

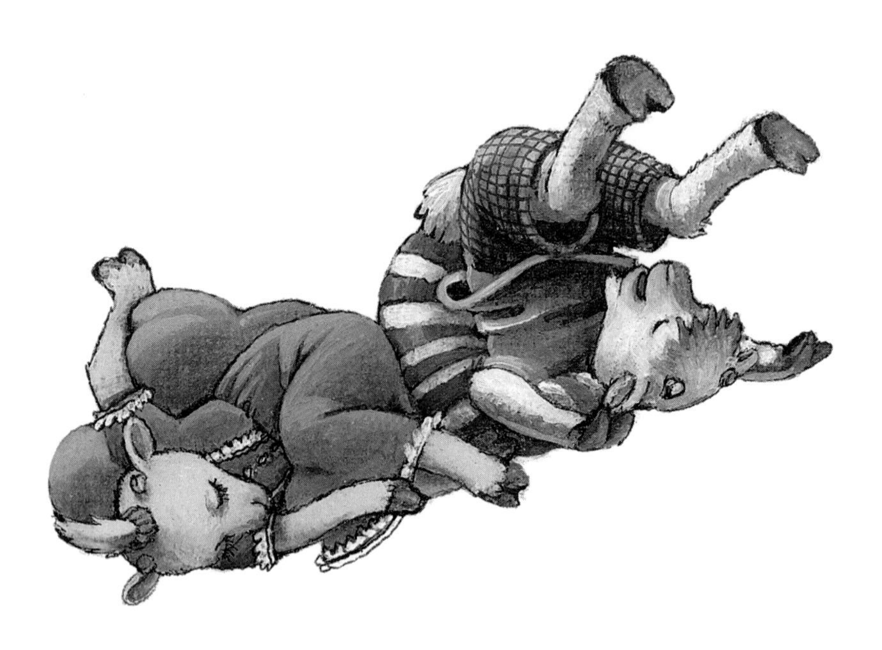

A la mañana siguiente, Chivito alzó su almohada. El diente no estaba. En su lugar había una brillante moneda.

Rosita le preguntó:

—Chivito, ¿viste al ratoncito?

—Bueno —contestó Chivito—, si fuera fácil de ver, no sería tan famoso, ¿no?

Una tortilla nada más

Una tarde, Chivito llamó a la puerta de la casa de Cochi.

—Pasa —le dijo su amigo, abriéndole la puerta.

—Estaba de paseo con mi mascota, Pecosa, y vinimos a visitarte —dijo Chivito.

—¡Qué bueno! Mira, Pecosa se parece a Colorina, mi gallina —comentó Cochi.

—Sí, es cierto —rio Chivito.

—¿Tienes hambre? —le preguntó Cochi—. Mi mamá hizo tortillas de harina y unos frijoles riquísimos, con quesito encima. Mmm.

—Bueno, no tengo mucha hambre —dijo Chivito—. Tomaré una tortilla nada más, con un poco de frijolitos.

Chivito se sirvió.

—Mmm. ¡Qué rico! —suspiró.

Chivito comió hasta que se le acabó la tortilla. Pero aún le quedaban unos frijolitos.

—Me tendré que servir otra tortilla —explicó—, sólo para tener con qué terminar estos frijoles.

Chivito se sirvió otra tortilla. Terminó los frijoles. Pero ahora le quedaba media tortilla.

—Bueno, me tendré que servir unos frijolitos más —le dijo a Cochi—. Para tener con qué terminar esta tortilla, ¿entiendes?

Terminó la tortilla. Pero ahora le sobraban frijoles otra vez.

—Tendré que tomar otra tortilla. Es que se me fue la mano con los frijolitos —volvió a explicar.

Y así siguió hasta que por fin se acabaron los frijoles y las tortillas.

—Gracias, Cochi —dijo entonces, rascándose la panza—. Cuando uno no tiene mucha hambre, con una tortilla basta.

Puntitos negros

Un día, Chivito decidió ser pintor. Tomó sus pinturas y su cuaderno y se fue al bosque.

Por el camino encontró una mata de hierbabuena. Decidió tomar un descanso y merendar.

De pronto oyó un grito:

—¡Cuidado, Chivito!

Chivito miró la hoja que estaba a punto de comerse. Montada en ella reconoció a Brinqui Saltamontes.

—¡Ay, Brinqui, perdona! —exclamó Chivito—. No te vi.

—Es que soy toda verde —explicó Brinqui—. Cuando estoy en una hoja, nadie me ve.

—¿Qué te parece si te pinto puntitos negros en cada ala? —preguntó Chivito—. Es que voy a ser pintor.

—¡Qué ocurrencia, Chivito! —exclamó Brinqui—. ¿Me quedarían bien?

—Seguro —aseguró Chivito—. Una saltamontes con puntitos: ¡serías única en el bosque!

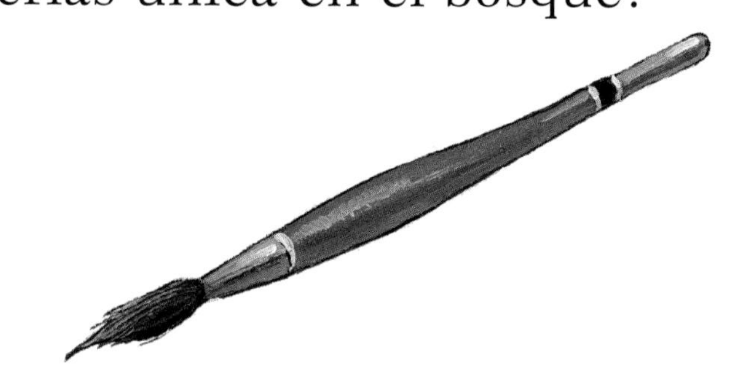

Chivito sacó su caja de pinturas. Con mucho cuidado le pintó unos puntitos negros en cada ala.

Después, Brinqui se puso al sol para que se le secara la pintura.

Los puntitos de Brinqui causaron sensación.

—¡Qué bonita! ¡Fabulosa! —exclamaban al verla los demás insectos del bosque.

—¿Me pintas puntitos blancos a mí? —preguntó una araña.

En eso, apareció un sapo.

—¿Cómo no te había visto antes? ¡Qué delicia! —dijo el sapo, y se lanzó hacia Brinqui para comérsela.

—¡Uy! —exclamó Brinqui. En un brinco se lanzó al bolsillo de Chivito.

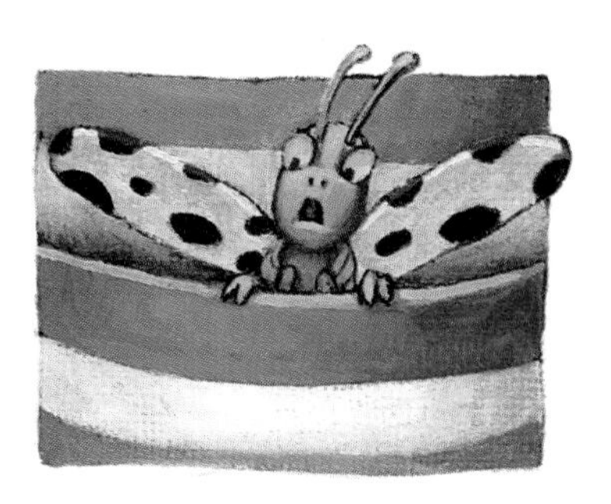

—¡Qué pena! —dijo el sapo, y se fue. La araña dijo:

—¿Sabes? Mejor me quedo así.

Brinqui se asomó del bolsillo y dijo:

—Chivito, estos puntitos no me convienen.

—Te los borro en el arroyo, antes de que te vea otro sapo —contestó Chivito.

—Chivito —dijo Brinqui—, en vez de pintarme las alas, ¿qué tal si me pintas un cuadro?

—Claro que sí —respondió Chivito.

Y los amigos pasaron muy bien el resto de la tarde.

¡Chivito, ay, Chivito,
qué ocurrencias tienes tú!
Cada día se te ocurre
una idea, o dos, o tres:

Una piedra de mascota,
o no parar de comer,
o dormir patas arriba,
o las cosas al revés.

¡Chivito, ay, Chivito,
qué ocurrencias tienes tú!

*Se canta con la melodía de "Al ánimo".